ぜ〜んぶひとりでできちゃう！

新谷友里江　家の光協会

生の
お料理
ブック **2**
SUPER!

「おいしい」はうれしい！

ハンバーグにたこ焼き、ラーメン、オムレツなど、
大好きな料理をつくってみよう。
材料を切って、ぐるぐる混ぜて、こんがり焼いたり、ことこと煮たり。
自分で手を動かせば、楽しい世界がぐんと広がるよ。
少し自信がついたら、家族や友だちにもつくってあげよう。
みんなのよろこぶ顔を見たり、「おいしいね」の声を聞いたら、
それだけで、とびきりうれしい気持ちになるよ！

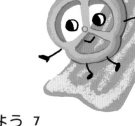

もくじ

人気レシピ ベスト7

今日はこれつくろ！

［この本の使い方］
1カップは200mL、大さじ1は15mL、
小さじ1は5mLです。

各レシピにつくりやすさの目安を入れています。
★はじめてでも簡単にできるもの
★★ちょっとがんばればつくれるもの
★★★料理に慣れてきたらチャレンジしてみたいもの

各レシピに調理時間の目安を入れています。
あくまでも参考なので、自分のペースでつくってみてください。

各レシピに、「フライパンで」「お鍋で」「電子レンジで」など、
使う道具を入れています。

子どもに人気のメニューの中から50人の子どもモニターの
意見を参考に「人気ベスト7」を選びました。

ごはん めん

おやつがわりに

みんなでパーティー

こんな道具を使うよ

料理に必要な道具を覚えよう！
キッチンにあるか、確認してみてね。

お鍋
直径18cmと16cmくらい、大小2種類あると便利。

フライパン
直径26〜24cmと直径22〜20cmの2種類を使い分けるのがおすすめ。ふたも使う。

ボウル
大小2種類あると便利。耐熱ガラスのものは電子レンジにかけられる。

ざる
野菜などの水気を切るときに使う。

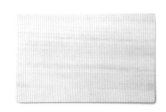

まな板
木製、プラスチック製など、いろいろな種類がある。

包丁
子ども用の包丁、または刃の部分が14cmくらいの小さめサイズが使いやすい。

菜ばし
ボウルやフライパン、鍋の中で混ぜるときなどに使う。食事用のはしより長めのものを。

フライ返し
焼いたものをひっくり返したり、器に盛るときに使う。

木べらとゴムべら
木べらはいためるときに、ゴムべらはボウルの中で混ぜるときなどに使う。

おたま

みそ汁やスープなどをすくうときに使う。

しゃもじ

ごはんをほぐしたり、茶わんに盛るときに必要。

ピーラー

野菜の皮をむくときに。にんじんやじゃがいもは、包丁より簡単にむける。

キッチンタイマー

煮たり、焼いたりする時間をはかるときに、あると便利。

ミトン

電子レンジやオーブントースターから、熱くなった容器を取り出すときに使う。

計量スプーン

調味料や粉類をはかるときに使う。大さじは15mL、小さじは5mL。

計量カップ

主に液体をはかるときに使う。1カップは200mL。

あわ立て器

生地をなめらかに混ぜたり、生クリームをあわ立てるときに使う。

万能こし器

粉を入れてふるうと、かたまりがなくなり、さらさらになる。

包丁とまな板の基本を覚えよう

まずは包丁とまな板と仲良くなろう！
危なくないように、正しい使い方を覚えてね。

持ち方
柄の部分をグーでしっかりにぎる。
人さし指は立てない。

置き方
まな板の上の方に、刃を向こうに
向けて置く。

食材の押さえ方
まな板の真ん中に食材をのせ、包
丁を持たない方の手で食材をしっ
かり押さえる。危なくないよう、
ねこの手のように指先を丸める。

切り方
包丁を食材に当て、まっすぐスト
ンと落として切る。かたいものは、
包丁の刃を前に押すようにして切
るとよい。

- -

皮むきはピーラーが便利
にんじんやじゃがいもの皮はピーラーを
使うのがおすすめ。にんじんはまな板に
ねかせるとグラグラせず、むきやすいよ。

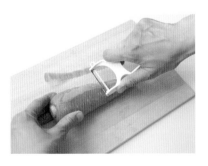

ガスコンロ、電子レンジ、ホットプレートを使ってみよう

ガスコンロは、焼いたり、いためたりするときに、
電子レンジとホットプレートは火を使わずにあたためたり、焼いたりするときに使うよ。

ガスコンロ

使うときの注意

コンロの近くに物を置かないこと。フライパンや鍋の取っ手は、うっかり引っかけないように、はみ出さない向きで五徳の上にしっかりと置く。

五徳

火加減の目安

強火
炎の先が鍋の底全体にあたっている

中火
炎の先が鍋の底に少しあたっている

弱火
炎の先が鍋の底にあたっていない

電子レンジ

※この本では600Wの電子レンジを使っているよ。500Wの場合は、おうちの人に聞いて加熱時間を長くしよう（1.2倍に）。

> 電子レンジはW数によって加熱時間がちがうので、おうちの人に聞いてみてね。

> 使う前におうちの人に聞いてみよう！

使える容器

レンジ用のコンテナや磁器や陶器などの丼、耐熱性のガラスボウルなど。金属製、木製、耐熱でないガラスなどは電子レンジで使えない。

ラップのかけ方

ピッチリかけると熱がこもってはずすときに危ないのと、中の食材がつぶれることもあるので、ふんわりとゆるくかける。

ミトンで運ぼう

レンジから取り出すときは、容器が熱くなっているのでミトンを使う。

ホットプレート

ピザやチーズフォンデュをつくったり、穴のあいたプレートを使えばたこ焼きもつくることができる。料理に合わせて高温、中温、低温など、温度を調節する。熱くなったプレートにさわらないように注意する。

まずは、みんなが選んだ
人気メニューから
チャレンジしてみよう！
自分でつくると、
おいしさが何倍にもふくらむね。

人気レシピ
ベスト

7

フライパンで

オムレツ

つくりやすさ ★
じかん 10分

ふんわり卵の中から、チーズがとろ～り！
半分に折るだけで、オムレツの形になるよ。

材料（1人分）

卵……2個

A｜牛乳……大さじ1
　｜塩……少々

バター……10g

ピザ用チーズ……15g

トマトケチャップ……適量

 トマト
ケチャップ

 塩

菜ばしを立てて左右に動かすと、白身が切れてなめらかに溶きほぐせるよ！

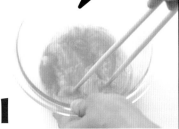

1

ボウルに卵を割り入れ、菜ばしでよく溶きほぐす。

2

Aを加え、よく混ぜる。

3

中火

フライパンにバターを入れて中火にかけ、溶けてきたら2を流し入れる。

4

中火

菜ばしで大きく混ぜながら、とろとろの半熟状になるまで火を通す。

5

中火

卵の片側半分にピザ用チーズをのせて、火を止める。

6

チーズがのっていない側の卵の底にフライ返しを差し入れ、半分にパタンと折る。器に盛り、ケチャップをかける。

人気レシピ
ベスト
7

電子レンジと ＋ フライパンで

グリルポテト

かりっ、ほくっ、がくせになる皮つきポテト。
こんがり焼いて好きな味をからめよう！

★ 10分
つくりやすさ じかん

塩味

青のり味

コンソメ味

材料（塩味・1人分）

じゃがいも……1個（150g）

サラダ油……大さじ1/2

塩……ひとつまみ

サラダ油　　塩

切り口を下にすると、ぐらぐらしないよ。

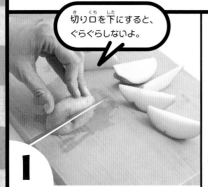

1

じゃがいもはよく洗い、皮ごと4等分に切る。切り口を下にしてななめに包丁を入れ、8等分のくし形に切る。

じゃがいもの表面のでんぷんを洗い流すよ。

2

さっと水にさらして水気を切る。

ラップの両はしを開けて、空気の逃げ道をつくるよ。

3

耐熱皿にのせてふんわりラップをし、電子レンジで2分加熱する。

最後に皮を下にして、こんがり焼こう。

4 中火

フライパンにサラダ油、3を入れて中火にかける。時々菜ばしで裏返しながら、全体に焼き目がつくまで3〜4分焼く。

5

ボウルに入れ、塩を加えてさっと混ぜる。

好きな味で楽しもう！

コンソメ味

塩のかわりに、洋風スープの素小さじ1/4、塩少しを加えて混ぜる。

青のり味

塩のかわりに、青のり粉小さじ1/2、塩ひとつまみを加えて混ぜる。

お鍋で

人気レシピ
ベスト
7

みそラーメン

みそとバターの香りがたまらない！
のびないうちに食べてね。

★
つくりやすさ

15分
じかん

12

材料（1人分）

キャベツ……1枚（50g）

豚バラうす切り肉……80g

サラダ油……小さじ1

水……ふくろの表示通りの量

中華めん（みそ味）……1ふくろ

ふぞくのスープ……1ふくろ

もやし……1/2ふくろ（100g）

コーンかん……大さじ2

バター……5g

サラダ油

1 キャベツは4〜5cm四方に切る。

2 豚肉はひと口サイズに切る。

3 中火
鍋にサラダ油を入れて広げ、豚肉を入れて中火にかける。菜ばしでほぐしながらいためる。

4 中火
豚肉の色が変わったら分量の水を加える。ふつふつとしたら、めん、キャベツ、もやしを加える。

5 弱火
もう一度ふつふつとしたら弱火にして約4分煮る。ふぞくのスープを加えてさっと混ぜる。

6 器に盛りつけて、コーン、バターをトッピングする。

お鍋と　＋　電子レンジで

ブロッコリーと
ゆで卵のサラダ

★★　つくりやすさ　　20分　じかん

みんなが好きなマヨネーズ味のサラダだよ。
色がきれいで、今すぐ食べたくなっちゃうね。

材料（1人分）

卵……1個

酢……大さじ1

ブロッコリー……1/4個（80g）

A マヨネーズ……大さじ1と1/2
塩……少し

 酢　 マヨネーズ　塩

1　中火

鍋に半分くらいまで水を入れて中火にかけ、ふつふつとしてきたら、酢を加える。

2　中火 → 弱火

おたまに卵をのせて1にそっと入れ、10秒くらい混ぜる。おたまをはずし、弱火にして約12分ゆでる。

3

ゆでた卵を、氷水を入れたボウルに入れて冷やす。手でさわれるくらいまで冷めたら、からをむいてひと口サイズに切る。

4

ブロッコリーは手で食べやすい大きさに分ける。分けにくい部分は、じくの方から包丁を入れて、半分に切る。

5

ブロッコリーを耐熱皿に入れてふんわりラップをし、電子レンジで約2分加熱する。

6

ブロッコリーの水けをふき取ってボウルに入れ、ゆで卵、Aを加えてあえる。

ぎょうざ

★★★（つくりやすさ）　30分（じかん）

人気レシピ
ベスト
7

フライパンで

こんがり香ばしく焼けたら、大成功！
半分に折るだけだから、簡単に包めるよ。

材料（2人分）

にら……1/3束（30g）

豚ひき肉……100g

A│酒……小さじ1

　│かたくり粉……小さじ1

　│しょうゆ……小さじ1/2

　│ごま油……小さじ1/2

ぎょうざの皮……12枚

サラダ油……大さじ1/2

水……1/2カップ

ごま油……小さじ1

B│酢、しょうゆ……各適量

酒　　しょうゆ　ごま油　サラダ油　酢

1 にらは5mmはばに切る。

少しねばりが出て、ひき肉が白っぽくなるまで混ぜよう。

2 ボウルにひき肉、にら、Aを入れて、手で練るようによく混ぜる。

3 ボウルの中で**2**を12等分にし、ぎょうざの皮の真ん中に1個分ずつのせる。皮のフチに少し水をつけて半分に折り、フチを手でとめて閉じる。

4 中火

フライパンにサラダ油を入れて広げ、**3**を並べて中火にかける。2〜3分焼いて焼き目がついたら分量の水を加え、ふたをする。

5 弱火 → 中火

ふつふつとしたら弱火にして4分ほど蒸し焼きにし、ふたを取る。中火にしてフライパンの中に残っている水分をとばす。

6 中火

ごま油をフライパンのフチにそって回し入れ、底がカリッとするまで1〜2分焼く。器に盛り、Bを混ぜたタレをそえる。

フライパンと + オーブントースターで

ハンバーガー

お店みたいなできあがり！
大きな口をあけてかぶりついてね。

★★★
つくりやすさ

30分
じかん

材料（2人分）

合いびき肉……200g

塩……小さじ1/4

A｜パン粉……大さじ3
　｜牛乳……大さじ1

サラダ油……大さじ1/2

スライスチーズ（溶けるタイプ）……2枚

ハンバーガーバンズ……2個

レタス……1枚

スライストマト……2枚分（約100g）

マヨネーズ、トマトケチャップ
　　……各適量

塩　　サラダ油　　マヨネーズ　　トマトケチャップ

1

ねばりが出て、白っぽくなるまで混ぜよう。

Aは混ぜ合わせておく。ボウルに合いびき肉、塩、Aを入れて、手で練るようによく混ぜる。

2

1を2等分にし、直径10cm、厚さ1cmくらいの円形にする。

3　中火

フライパンにサラダ油を入れて広げ、2を並べて中火にかける。3分ほどして焼き目がついたら、フライ返しで裏返す。

4　弱火

ふたをして弱火で約3分焼く。火が通ったらスライスチーズをのせて、チーズが溶けるまでふたをして蒸し焼きにする。

5

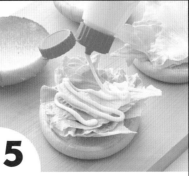

バンズはオーブントースターで4〜5分焼き、レタスを半量ずつのせてマヨネーズをかける。

6

トマト、ハンバーグ、ケチャップの順にのせて、もう1枚のバンズではさむ。

たこ焼きプレートで

たこ焼き

みんなでわいわい焼いてみよう！
アツアツを食べると最高だよ。

★★　｜　30分

材料（35個分）

キャベツ……3枚（150g）

ゆでだこ……150g

卵……2個

水……3と1/2カップ

A ‖ 小麦粉……200g
　　顆粒和風だしの素……小さじ2
　　塩……小さじ1/2

サラダ油……適量

あげ玉……大さじ5

B ‖ 中濃ソース、マヨネーズ、
　　かつお節、青のり……各好きな量

顆粒和風
だしの素

塩

サラダ油

中濃
ソース

マヨ
ネーズ

1

キャベツは1枚を4等分に切り、重ねてはしから細切りにする。向きを変えてさらにあらみじん切りにする。

2

ゆでだこは2cm角くらいの大きさに切る。

3

ボウルに卵を割り入れ、菜ばしを立てて左右に動かし、よく溶きほぐす。分量の水を加えてよく混ぜる。

3はボウルの真ん中に加え、粉の土手をくずすように混ぜると、ダマになりにくいよ。

4

別のボウルにAを入れてあわ立て器で混ぜる。3を少しずつ加えて、なめらかになるまで混ぜる。

5

高温

たこ焼きプレートにペーパータオルでサラダ油をなじませて高温で予熱をする。あたたまったら4をおたまで穴の半分くらいまで入れる。

生地を穴からあふれさせるように入れよう。

6

高温

たこ、キャベツ、あげ玉の順に入れ、残りの4を入れて2～3分焼く。まわりが固まったら竹ぐしでくるっと返してこんがり焼く。器に盛り、Bをかける。

21

今日はこれつくろ！

フライパンで

つくりやすさ
★★★

じかん
30分

煮こみハンバーグ

ケチャップソースがしみこんだ絶品ハンバーグ。
ジューシーな肉じゅうがじゅわっと出てくるよ。

材料（2人分）

玉ねぎ……1/2個（100g）

卵……1/2個分

塩……小さじ1/4

A ‖ パン粉……1/4カップ
‖ 牛乳……大さじ1

合いびき肉……250g

サラダ油……大さじ1/2

B ‖ 水……1/2カップ
‖ トマトケチャップ……大さじ2
‖ 中濃ソース……大さじ1
‖ 砂糖……小さじ1

バター……10g

ベビーリーフ……適量

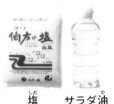

塩　サラダ油　トマト　中濃　砂糖
　　　　　　　ケチャップ　ソース

菜ばしを立てて左右に動かすと、白身が切れてなめらかに溶きほぐせるよ！

1 Aは混ぜ合わせておく。玉ねぎは縦に細かく切り目を入れ、向きをかえてはしから細かく切る（みじん切り）。

2 卵はボウルに入れ、よく溶きほぐす。別のボウルに合いびき肉、玉ねぎ、溶き卵、塩、Aを入れて手で練るようによく混ぜる。

3 2等分にして、両手でキャッチボールをしながら空気をぬき、小判形にする。ラップをしいたバットにのせ、指で真ん中を押してへこませる。

ひき肉からあぶらがたくさん出ていたら、ペーパータオルでふき取ろう。

4 〔中火〕
フライパンにサラダ油を入れて広げ、3を並べて中火にかける。

5 〔中火〕
3分ほど焼いて、焼き目がついたらフライ返しで裏返し、順にBを加える。

6 〔弱火〕
ふつふつとしたら弱火にし、ふたをして5分ほど煮こむ。仕あげにバターを加えてさっと煮る。器に盛り、ベビーリーフをそえる。

電子レンジと + お鍋で

ビーフシチュー

レストランみたいなごちそうメニュー。
たっぷりできるから、みんなに食べてもらおう！

★★★ つくりやすさ

40分 じかん

材料（4人分）

玉ねぎ……1/2個（100g）

にんじん……1本（160g）

じゃがいも……2個（300g）

ブロッコリー……1/2個（150g）

牛切り落とし肉……300g

塩……小さじ1/4

バター……20g

A　水……2カップ

　　デミグラスソースかん……1かん（400g）

　　酒……1/4カップ

　　トマトケチャップ……大さじ2

　　洋風スープの素……小さじ1

　　砂糖……小さじ1

　　塩……小さじ1/3

塩　　酒　　トマト　　洋風　　砂糖
　　　　　ケチャップ　スープの素

1
玉ねぎは5mmはばの薄切りにする。にんじんはピーラーで皮をむいて乱切りにする。じゃがいもは皮をむいてひと口サイズに切り、さっと水にさらして水気を切る。

2
ブロッコリーは手で食べやすい大きさに分けて耐熱皿に入れ、ふんわりラップをして電子レンジで2分加熱する。

3
牛肉に塩をふる。

4　中火
鍋にバターを入れて中火で溶かし、牛肉をいためる。肉の色が変わったら、玉ねぎを加えてしんなりするまでいためる。

5　中火
にんじん、じゃがいもを加えて、さらにいためる。

6　中火 → 弱火
全体にバターが回ったら、Aを順に加える。ふつふつとしたら弱火にし、ふたをして15〜20分煮こむ。器に盛り、ブロッコリーをそえる。

さけの照り焼き

つやっとおいしそうに焼きあげよう。
あまじょっぱい味がごはんによく合うよ。

材料（1人分）
生ざけ……1切れ（100g）
小麦粉……適量
A しょうゆ……小さじ2
　酒……小さじ2
　砂糖……大さじ1/2
サラダ油……小さじ1

しょうゆ　酒　砂糖　サラダ油

1
さけは半分に切る。バットに小麦粉を入れ、さけにまぶし、余分な粉をはらう。Aは混ぜ合わせておく。

2　中火
フライパンにサラダ油を入れて広げ、さけの皮の方を下にして入れて中火にかける。

3　中火
2分ほど焼いて皮に焼き目がついたら、フライ返しで裏返す。

さけからあぶらがたくさん出たら、Aを加える前にペーパータオルを菜ばしでつまんでふき取ろう。

4　弱火
弱火にしてふたをし、約3分蒸し焼きにする。火が通ったらAを加えてさっとからめる。

フライパンで

マーボー豆腐

人気の中華おかずを手づくりしてみよう。
豆腐がくずれないように気をつけて！

★★★
つくりやすさ

20分
じかん

材料（2人分）

- にら……1/2束（50g）
- もめん豆腐……1丁（300g）
- ごま油……大さじ1/2
- 豚ひき肉……120g
- A
  - 水……3/4カップ
  - オイスターソース……大さじ1
  - 酒……大さじ1
  - しょうゆ……小さじ1
  - 顆粒鶏がらスープの素……小さじ1/2
  - にんにく（チューブ）……小さじ1/2
- B
  - かたくり粉……大さじ1/2
  - 水……大さじ1

ごま油　オイスターソース　酒　しょうゆ　鶏がらスープの素　にんにく（チューブ）

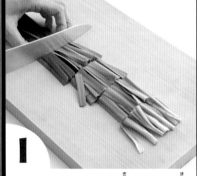

1 にらは5cmはばに切る。Bは混ぜ合わせて水ときかたくり粉をつくる。

2 豆腐は厚みを半分に切り、2～3cm角に切る。

3 フライパンにごま油を入れて広げ、ひき肉を入れて中火にかける。木べらでほぐしながらいためる。

中火

4 肉がポロポロになって、色が変わるまでしっかりいためたら、Aを順に加える。

中火

5 ふつふつとしたら豆腐を加え、再び煮たったら弱火にしてふたをし、5分ほど煮る。

中火 → 弱火

6 にらを加え、しんなりしたら火を止める。Bの水ときかたくり粉をもう一度混ぜて回し入れ、中火にかけて混ぜながらとろみがつくまで煮る。

弱火 → 中火

電子レンジと + フライパンで

アスパラの肉巻き

アスパラの香りと、とろけたチーズがおいしさの決め手。
きれいな切り口を見せて盛りつけよう。

★
つくりやすさ

15分
じかん

材料（1人分）

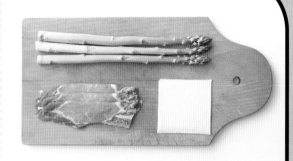

- グリーンアスパラガス……3本（60g）
- スライスチーズ……1枚
- 豚ロースうす切り肉……3枚
- 塩……小さじ1/8
- サラダ油……大さじ1/2
- 塩……少し

塩　　サラダ油

かたい下の方だけ、皮をむくよ。

1 アスパラガスは根元を切り落とし、ピーラーで下から1/3くらいの皮をむき、長さを半分に切る。

2 耐熱皿に入れてふんわりラップをし、電子レンジで1分加熱してあら熱を取る。

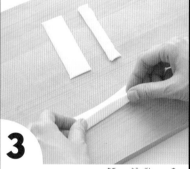

3 スライスチーズは縦3等分に切り、1切れずつさらに縦半分に折る。

アスパラとチーズが肉でかくれるようにななめに巻こう。

4 豚肉を1枚ずつ広げて塩小さじ1/8をふり、スライスチーズ、アスパラを1/3量ずつのせる。手前からななめにくるくると巻く。

5 フライパンにサラダ油を入れて広げ、巻き終わりを下にして4を並べる。中火にかけ、菜ばしで転がしながら2分ほど焼く。

中火

6 全体に焼き目がついたら弱火にする。ふたをしてさらに2分ほど蒸し焼きにし、塩少しをふってさっとからめる。半分に切って器に盛る。

弱火

枝豆と
コーンのサラダ

３つの色と食感が混ざった楽しいサラダ。
火を使わずにつくれるよ。

★
つくりやすさ

5分
じかん

材料（1人分）

枝豆（冷凍）……100g

（さやから出して50g）

コーンかん……1かん（65g）

ツナかん（水煮）……1/2かん（35g）

A ┃ ごま油……大さじ1/2
　　┃ 塩……少し

ごま油　　　塩

1

枝豆は冷凍庫から出して解凍し、さやから出す。

2

コーンかんは、かん汁を切る。

3

ツナかんはボウルに出し、スプーンで押さえてかん汁を切る。

4

ボウルに 1、2、3、A を入れて、さっとあえる。

コールスロー

シャキシャキした歯ざわりのさっぱりサラダ。
肉や魚料理といっしょに食べてもいいね。

材料（2人分）

- キャベツ……2枚（100g）
- にんじん……1/8本（20g）
- 塩……小さじ1/4
- ハム……1枚
- A
  - オリーブ油……小さじ2
  - 酢……小さじ1
  - 塩……ひとつまみ
  - 砂糖……ひとつまみ

塩　　オリーブ油　　酢　　砂糖

1
キャベツはかたい芯の部分を切り取る。1枚を4等分にして重ね、はしから2〜3mmはばに切る。

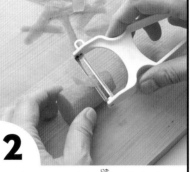

2
にんじんはまな板にねかせて、ピーラーでうす切りにする。

3
キャベツとにんじんをボウルに入れ、塩をまぶして10分ほどおく。

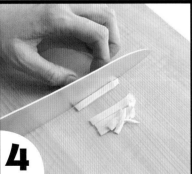

4
ハムは半分に切って重ね、はしから5mmはばに切る。

野菜を両手ではさんで、ぎゅっと力を入れてしぼろう。

5
3の野菜がしんなりしたら、水気をしぼって別のボウルにうつす。Aは混ぜ合わせておく。

6
5のボウルに4、Aを入れて、さっとあえる。

お鍋と + 電子レンジで

味つけたまご

つくりやすさ ★　じかん 15分+ひと晩

ゆで卵を好きな味にひと晩つけるだけ！
ラーメンやうどんに入れてもおいしいよ。

カレー味たま

基本の味たま

うま塩味たま

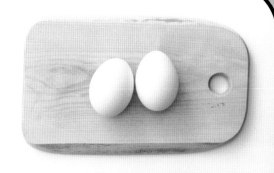

材料（基本の味たま・2個分）

卵……2個

酢……大さじ1

A ┃ めんつゆ（2倍濃縮）
　　　……大さじ4と1/2
　┃ 水……大さじ3

酢　　　めんつゆ

1

中火 → 弱火

鍋の半分まで水を入れて中火にかけ、ふつふつとしてきたら、酢を加える。おたまに卵をのせてそっと入れ、10秒くらい混ぜたら、弱火にして約12分ゆでる。

2

氷水を入れたボウルに1を入れて冷やし、手でさわれるくらいまで冷めたら、からをむく。

> ポリぶくろをボウルに入れて折り返すと、入れやすいよ。

3

耐熱ボウルにAを入れてふんわりラップをし、電子レンジで1分加熱する。手でさわれるくらいまで冷めたら、ポリぶくろにゆで卵、Aを入れる。

> ボウルに入れておくと、ふくろがやぶれても汁がもれる心配がないよ。

4

ふくろの空気をぬいて口をしばり、冷蔵庫でひと晩つけこむ。

好きな味につけこもう！

カレー味たま

Aのかわりに、水1/2カップ、カレー粉小さじ1、洋風スープの素小さじ1、塩小さじ1/4を混ぜ、電子レンジで1分加熱する。

うま塩味たま

Aのかわりに、水1/2カップ、ごま油小さじ1、顆粒鶏がらスープの素小さじ1、塩小さじ1/4、にんにく（チューブ）小さじ1/2を混ぜ、電子レンジで1分加熱する。

フライパンで

チヂミ

つくりやすさ
★

じかん
15分

お好み焼きみたいな韓国料理だよ。
にらをたっぷり入れて、香りよく焼きあげよう。

材料（1人分）

にら……1/2束（50g）

A ‖ 小麦粉……30g
　　‖ かたくり粉……大さじ1
　　‖ 塩……少し

水……80mL

ちりめんじゃこ……大さじ2

ごま油……大さじ1

B ‖ しょうゆ、酢……各適量

塩　　ごま油　　しょうゆ　　酢

1 にらは5cm長さに切る。

粉っぽさがなくなれば、少しダマがあっても平気だよ。

2 ボウルにAを入れて菜ばしでさっと混ぜ、分量の水を加えてさっくりと混ぜる。

3 にら、ちりめんじゃこを加えて全体にからめる。

4 フライパンにごま油大さじ1/2を入れて広げる。**3**を流し入れ、全体に広げて中火にかける。　中火

5 3分ほど焼いて焼き目がついたら、フライ返しで裏返す。　中火

6 ごま油大さじ1/2をフライパンのフチから回し入れてさらに2分ほど焼く。カリッと焼けたら食べやすく切って器に盛り、Bを混ぜたタレをそえる。　中火

39

お鍋で

つくりやすさ ★

じかん 15分

かきたまスープ

ふわふわ卵がたっぷり入ったやさしい味。
とろみをつけてから卵を入れるのがコツだよ。

材料（2人分）

長ねぎ……1/2本（50g）

卵……1個

A ‖ 水……2カップ
　　顆粒和風だしの素……小さじ1/4

B ‖ しょうゆ……小さじ1
　　塩……小さじ1/4

C ‖ かたくり粉……小さじ1/2
　　水……小さじ1

顆粒和風
だしの素　　しょうゆ　　塩

1
長ねぎははしから2～3mmはばに切る（小口切り）。

2
ボウルに卵を割り入れ、菜ばしを立てて左右に動かし、よく溶きほぐす。Cは混ぜ合わせて水溶きかたくり粉をつくる。

3 中火 → 弱火
鍋にAを入れて中火にかける。煮たったら長ねぎを加えて弱火にし、2～3分煮る。

4 弱火
ねぎがしんなりしたら、Bを加える。

5 強火
一度火を止め、Cの水溶きかたくり粉をもう一度よく混ぜて回し入れ、よく混ぜる。強火にかけ、おたまで混ぜながらとろみをつける。

6 強火
ふつふつとしたら、溶き卵を少しずつ流し入れて、さっと煮て火を止める。

つくりやすさ ★★　じかん **20分**

ワンタンスープ

ワンタンの皮で具を包まないから簡単！
とろんとした皮と具をいっしょに食べてね。

材料（2人分）

にんじん……1/4本（40g）

しいたけ……2枚（40g）

細ねぎ……1本

サラダ油……小さじ1

豚ひき肉……80g

ワンタンの皮……6枚

A｜水……2カップ
　｜しょうゆ……小さじ1
　｜顆粒鶏がらスープの素
　｜　　……小さじ1/2
　｜塩……小さじ1/4

サラダ油　　しょうゆ　　鶏がら　　　　塩
　　　　　　　　　　　スープの素

1

にんじんはピーラーで皮をむく。切り口を下にして、縦半分に切る。はしから2〜3mmはばに切る（半月切り）。

2

しいたけはじくを手でポキッと折り、5mmはばのうす切りにする。じくは縦半分に切る。

3

細ねぎははしから2〜3mmはばに切る（小口切り）。

4　中火

鍋にサラダ油を入れて広げ、豚ひき肉を入れる。中火にかけ、木べらでほぐしながらいためる。

5　中火 → 弱火

肉の色が変わってポロポロになったら、Aを加える。ふつふつとしたらにんじん、しいたけを加えて弱火にし、ふたをして5〜6分煮る。

> ワンタンの皮を加えたら、皮どうしがくっつかないように菜ばしではなしてね。

6　弱火

ワンタンの皮を1枚ずつ加えて1〜2分煮る。火が通ったら、器に盛り、細ねぎをふる。

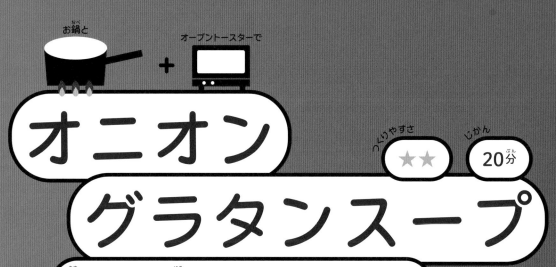

オニオングラタンスープ

つくりやすさ ★★ じかん 20分

玉ねぎをきつね色になるまでがんばっていためよう。
あまみがぐんと出て、おいしさが広がるよ。

材料（2人分）

玉ねぎ……1/2個（100g）

オリーブ油……小さじ1

A ┃ 水……2カップ
　┃ 洋風スープの素……小さじ1
　┃ 塩……小さじ1/4

バゲット（1cm厚さに切る）……2切れ

ピザ用チーズ……10g

オリーブ油　　洋風　　　塩
　　　　　　スープの素

この切り方にすると、玉ねぎが
とろとろにやわらかく煮えるよ。

1

玉ねぎはせんいを断つように、横にうす切りにする。

2

中火

鍋にオリーブ油を入れて広げる。玉ねぎを入れ、中火にかけていためる。

3

中火

きつね色になるまで5分ほどいためる。

4

中火 → 弱火

Aを加え、ふつふつとしたら弱火にし、ふたをして5分ほど煮る。

5

バゲットにピザ用チーズをのせて、オーブントースターで3〜4分焼く。器に4を盛り、バゲットをのせる。

電子レンジと + お鍋で

ほっくりあまいかぼちゃをつぶしてスープに。
なめらかな口溶けを楽しんで。

★ つくりやすさ　15分 ぐかん

かぼちゃの ポタージュ

材料（2人分）

かぼちゃ（カットしてあるもの）
　……5かけ（300g）
A ┃ 牛乳……1/2カップ
　┃ 水……1/2カップ
　┃ 砂糖……小さじ1
　┃ 塩……小さじ1/4

砂糖　　　　塩

1 耐熱皿にかぼちゃをのせてふんわりラップをし、電子レンジで6分加熱する。

2 竹ぐしがすっと入るまでやわらかくなったら、手でさわれるくらいまで冷ます。

3 スプーンで皮を取りのぞく。

4 かぼちゃを鍋に入れ、フォークの背でつぶす。

中火

5 Aを加えて中火にかけ、混ぜながら全体をなじませる。

弱火

6 ふつふつとしたら弱火にし、ふたをして3〜4分煮る。

ごはんの炊き方

おいしいごはんが自分で炊けたら最高！
実際に炊く手順に沿ってやってみよう。

1. 米をはかる

米の単位は「合」が基本で、1合は180mL。炊飯器についている専用のカップではかるよ。計量カップの1カップとは分量が違うので気をつけよう。

2. 洗う

米をざるに入れてボウルに重ね、水を注いで手でやさしくすすぐ。

↓

ざるを持ちあげて、水気を切る。

↓

水をかえて、もう一度やさしくすすぐ。ざるにあげて水気を切る。

3. 炊く

炊飯器の内がまに米を入れる。

↓

炊く分量の目盛りに合わせて水を入れる（ここでは2合分）。

↓

炊飯器の本体に内がまをセットする。ふたをしてスイッチを入れたら、炊飯スタート！

だしのとり方

みそ汁や煮物に使うだしには、いろいろなとり方があるよ。
とりやすい方法でチャレンジしてみよう！

顆粒だしを使う
鍋に分量の水を入れて中火にかけ、ふつふつとしたら、顆粒だしを加える。顆粒だしが湯に溶けたら、できあがり。

だしパックを使う
鍋に分量の水とだしパックを入れ、中火にかける。ふつふつとしたら弱火にし、そのまま5分ほど煮て火を止める。

こんな方法も！

かつお節に湯を注ぐだけ
パック入りのかつお節を茶こしに入れ、下にボウルを置く。かつお節の上から湯を注ぐ。簡単だけど、これだけでも十分にいい香りのだしがとれる。

知っておきたい 料理の下ごしらえ

料理の一番最初にするのが下ごしらえ。
料理上手になるためのはじめの一歩だよ！

キャベツ

葉をはがす

根元に包丁で5cm深さくらいの切り目を入れる。

→

洗う

水を入れたボウルの中で汚れを落とす。流水でもOK。

切り目の部分から手で1枚ずつはがす。

ピーマン

へたと種を取る

縦半分に切り、へたと種を手でちぎって取る。

玉ねぎ

皮をむく

根元を包丁で切り落とし、切り口から手で皮をむく。

葉野菜

水気を切る

ペーパータオルではさんで手で押さえ、水気を切る。

じゃがいも

皮をむく

ピーラーの刃を皮にあて、カーブに沿って手前にむいていく。

芽を取る

ピーラーの脇についている芽取り（小さな突起）ですくい取る。

卵

割る

まな板など平らなところに卵を打ちつけて、からにひびを入れる。

→

ひびが入ったところに両手の親指を入れ、パカッと割る。

かんづめ

開ける

プルタブの下にスプーンの柄などを差し込み、少し浮かせる。

→

プルタブを真上に起こし、輪の中に親指を入れて手前に引き上げる。

切り方

小口切り

ねぎやにら、きゅうりのように細長い野菜をはしから細かく切る。

乱切り

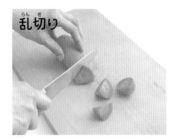

包丁をななめに入れて食べやすい大きさに切り、切り口の向きを変えて再びななめに切る。これをくり返す。

みじん切り

最初にたてに細かく切り目を入れる。

→

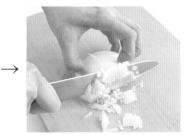

向きを90℃変えて、はしから同じように細かく切る。目安は2〜3mm角くらい。

ごはん
めん

つくりやすさ ★　　じかん 20分

まぐろのづけ丼

タレにつけたまぐろをごはんにのせて完成。
好きなおさしみでつくってもいいね。

材料（1人分）

まぐろのさしみ……7切れ（100g）

A │ しょうゆ……大さじ1/2
　 │ 水……大さじ1/2
　 │ 砂糖……ひとつまみ

あたたかいごはん
　……茶わん1杯分（150g）

焼きのり……1/4枚

しょうゆ　　砂糖

> バットをかたむけて、はしに
> タレをためると混ぜやすいよ。

1 バットにAを入れて混ぜ合わせ、タレをつくる。

2 1にまぐろを入れて、タレをからめ、そのまま15分ほどつける。

3 器にごはんを盛り、ちぎった焼きのりをちらす。

4 2をのせて、バットに残ったタレをかける。

フライパンで

親子丼
(おや こ どん)

鶏肉と卵でつくるから、親子丼というよ。
卵をとろっと仕あげるのがポイントだよ。

★★ つくりやすさ　　15分 じかん

54

材料（2人分）

玉ねぎ……1/2個（100g）

鶏もも肉……1枚（250g）

卵……2個

A　水……1/2カップ
　　しょうゆ……大さじ2
　　砂糖……大さじ1と1/2
　　酒……大さじ1

あたたかいごはん
　　……茶わん2杯分（300g）

しょうゆ

砂糖

酒

1 玉ねぎは2〜3mmはばのうす切りにする。

2 鶏肉は白いあぶら身を取りのぞき、小さめのひと口サイズに切る。

3 ボウルに卵を割り入れ、菜ばしを立てて左右に動かし、よく溶きほぐす。

4 中火 → 弱火

フライパンにAを入れて中火にかける。ふつふつとしたら、鶏肉、玉ねぎを加えて弱火にし、ふたをして6分ほど煮る。

5 弱火

鶏肉に火が通ったら、溶き卵を回し入れる。ふたをして、さらに1分ほど煮て火を止める。

6 器にごはんを盛り、**5**をスプーンで半量ずつのせる。

あんかけ丼

フライパンで

★★
つくりやすさ

15分
じかん

野菜とえびをいためてとろみをつけた中華風の丼。
ぷりぷりのえびがたっぷり！

材料（2人分）

- ちんげん菜……1株（150g）
- サラダ油……小さじ1
- むきえび……150g
- A
  - 水……1と1/2カップ
  - 酒……大さじ1
  - しょうゆ……小さじ2
  - 顆粒鶏がらスープの素……小さじ1
  - 塩……小さじ1/4
- B
  - かたくり粉……大さじ1
  - 水……大さじ2
- あたたかいごはん……茶わん2杯分（300g）

サラダ油　　酒　　しょうゆ　　鶏がらスープの素　　塩

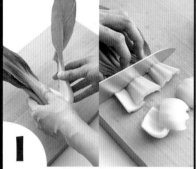

1 ちんげん菜は1枚ずつ葉をはがし、3cm長さに切る。くきの太い部分は縦半分に切る。Bは混ぜ合わせて水溶きかたくり粉をつくる。

2 フライパンにサラダ油を入れて広げ、むきえびを入れて中火にかける。　中火

3 2分ほどいためて色が変わったら、Aを加える。ふつふつと煮たたせて、スプーンでアクを取る。　中火

4 ちんげん菜を加えて弱火にし、3分ほど煮る。　弱火

5 火が通ったら一度火を止め、Bの水溶きかたくり粉をもう一度混ぜてから回し入れ、よく混ぜる。強火にかけて、混ぜながらとろみがついたら火を止める。　強火

6 器にごはんを盛り、おたまで5をかける。

57

ピリッとからくてうまみがいっぱい！
ごはんを手早くパラパラにいためよう。

キムチ チャーハン

つくりやすさ ★★

じかん 25分

材料（1人分）

白菜キムチ……30g

にら……2本（20g）

豚こま切れ肉……80g

ごま油……大さじ1/2

あたたかいごはん
　　……茶わん1杯分（150g）

しょうゆ……小さじ1

ごま油　　　しょうゆ

1
キムチはざくざくと切る。にらは2cm長さに切る。

2
豚肉は大きければひと口サイズに切る。

3　🔥🔥🔥 中火
フライパンにごま油を入れて広げ、豚肉を入れて中火にかけていためる。

4　🔥🔥🔥 中火
肉の色が変わるまでいためたら、キムチを加えてさっといためる。

5　🔥🔥🔥 中火
ごはんを加えて、木べらでほぐしながらいためる。

6　🔥🔥🔥 中火
ごはんがパラッとしてきたら、にらを加えてさっといためる。最後にしょうゆを回し入れて、混ぜ合わせて火を止める。

オーブントースターで

ドリア

つくりやすさ ★★　　じかん 20分

ホワイトソースとチーズの下にはケチャップごはん！
ひと口でいろいろなおいしさが楽しめるよ。

材料 (1人分)

玉ねぎ……1/8個（25g）

ピーマン……1/2個（15g）

ベーコン……1枚

あたたかいごはん
　　……茶わん1杯分（150g）

トマトケチャップ……大さじ2

ホワイトソースかん
　　……1/3かん（100g）

ピザ用チーズ……30g

トマト
ケチャップ

1
玉ねぎは横にうす切りにする。

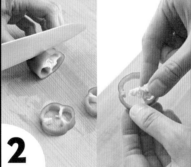

2
ピーマンは7〜8mmはばの輪切りにして、真ん中の種を取りのぞく。

3
ベーコンは1cmはばに切る。

4
ボウルにごはん、ケチャップを入れてさっくりと混ぜる。

5
4を耐熱皿に入れ、ホワイトソースを全体に広げる。

6
ベーコン、玉ねぎ、ピーマンをのせ、ピザ用チーズをちらす。オーブントースターで8分ほど焼く。

お鍋で

つくりやすさ ★★

じかん 15分

カレーうどん

ちょっと和風のカレー味がうどんにぴったり！
おかわりしたくなるおいしさだよ。

材料（1人分）

長ねぎ……1/3本（30g）

油あげ……1/2枚（25g）

豚バラうす切り肉……80g

サラダ油……小さじ1

A 水……2カップ

めんつゆ（2倍濃縮）
　　……大さじ1と1/2

カレールウ……2かけ（35g）

冷凍うどん……1玉

サラダ油

めんつゆ

1　長ねぎはななめに5mmはばに切る。

2　油あげは横半分に切り、1.5cmはばに切る。

3　豚肉はひと口サイズに切る。

4　中火　鍋にサラダ油、豚肉を入れて中火にかける。こんがりと色づくまでいためたら、長ねぎを加えてさらにいためる。

5　中火　長ねぎがしんなりしたら、Aを加える。

6　中火 → 弱火　ふつふつとしたら、カレールウ、油あげ、うどんを加えて混ぜながら煮たたせる。弱火にしてふたをし、6分ほど煮る。

電子レンジだけでつくれるパスタだよ。
しょうゆとバターの香りが食欲をそそるよ！

きのこの 和風パスタ

★★ つくりやすさ

15分 じかん

材料（1人分）

スパゲッティ（太さ1.6mm）……80g

かに風味かまぼこ……3本（36g）

しめじ……1/2パック（50g）

エリンギ……1/2パック（50g）

A 水……1カップ
　　オリーブ油……小さじ2
　　しょうゆ……小さじ2
　　塩……少し

バター……5g

刻みのり……適量

オリーブ油　　しょうゆ　　塩

1 スパゲッティは半量ずつ、手で半分に折る。

2 かに風味かまぼこは、手でほぐして食べやすくする。

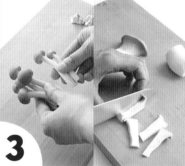

3 しめじは根元を切り落として、食べやすく分ける。エリンギは長さを半分にし、縦半分に切って端から5mmはばに切る。

4 レンジ用のコンテナにAを入れてさっと混ぜる。スパゲッティを半量ずつ交差するように入れてAになじませる。

5 しめじ、エリンギ、かに風味かまぼこ、バターを入れる。ふたをしないで電子レンジで7分加熱する。

6 一度取り出してさっと混ぜ、さらに3分加熱してさっと混ぜる。器に盛り、刻みのりをちらす。

電子レンジで

つくりやすさ
★★

じかん
15分

いんげんの
トマトパスタ

みんなが好きなトマトソースのパスタ！
ベーコンを入れると味にコクが出るよ。

材料（1人分）

スパゲッティ（太さ1.6mm）……80g

さやいんげん……4本（30g）

ベーコン……2枚

A ┃ 水……1カップ

┃ トマト水煮かん（カットタイプ）

┃　　……150g

┃ オリーブ油……小さじ2

┃ 塩……小さじ1/3

┃ にんにく（チューブ）……小さじ1/4

オリーブ油　　塩　　にんにく（チューブ）

1 スパゲッティは半量ずつ、手で半分に折る。

2 いんげんは3cm長さに切る。ベーコンは1cmはばに切る。

3 レンジ用のコンテナにAを入れてさっと混ぜる。

4 スパゲッティを半量ずつ交差するように入れてAになじませる。

5 ベーコン、いんげんを入れて、ふたをしないで電子レンジで7分加熱する。

6 一度取り出して軽く混ぜ、さらに4分加熱してさっと混ぜる。

おやつがわりに

オーブントースターで

焼きおにぎり2種

いつものおにぎりをこんがり焼いてみよう！
しょうゆやみそをぬると、香ばしくなるよ。

★
つくりやすさ　じかん

それぞれ15分

ごまおかか焼きおにぎり

コーンみそ焼きおにぎり

ごまおかか焼きおにぎり

材料（2個分）

あたたかいごはん……茶わん1杯分（150g）
かつお節……小1ふくろ（2g）
白ごま……小さじ1
ごま油……適量
しょうゆ……小さじ1

ごま油

しょうゆ

1
ボウルにごはん、かつお節、白ごまを入れる。さっくりと混ぜ、2等分にする。

2
ラップを30cm四方に広げて半量の1をのせる。ラップで包み、上側の手を山形にし、下側の手を少し丸めてふんわりと三角形ににぎる。残りも同じようににぎる。

3
オーブントースターの天板（または耐熱のバット）にアルミはくをしいて、ごま油をぬる。2をのせて3分焼き、一度取り出してスプーンで半量のしょうゆをぬり、さらに3分焼く。取り出して裏返し、残りのしょうゆをぬり、3分焼く。

コーンみそ焼きおにぎり

材料（2個分）

あたたかいごはん……茶わん1杯分（150g）
コーンかん（かん汁を切る）……大さじ2（20g）
A ┃ みそ……小さじ2
　 ┃ 砂糖……小さじ1
サラダ油……適量

みそ

砂糖

サラダ油

1
ボウルにごはん、コーンを入れてさっくりと混ぜ、2等分にする。

2
ラップを30cm四方に広げて半量の1をのせる。ラップで包み、上側の手と下側の手を丸めて、ふんわりと平たい円形ににぎる。残りも同じようににぎる。

3
オーブントースターの天板（または耐熱のバット）にアルミはくをしいて、サラダ油をぬる。2をのせて5分焼き、一度取り出してスプーンで混ぜ合わせたAをぬり、さらに4分焼く。

チョコマシュマロ

アップルパイ風

オーブントースターで

つくりやすさ ★

じかん それぞれ10分

朝ごはんやおやつにうれしいトースト。
なにをのせるか、まよっちゃうね。

お好み焼き風

のっけ
トースト
3種

70

アップルパイ風のっけトースト	チョコマシュマロのっけトースト	お好み焼き風のっけトースト
材料（1人分） りんご……1/4個 食パン（6枚切り）……1枚 バター……適量 砂糖……小さじ1	**材料**（1人分） マシュマロ……3個 板チョコレート ……6かけ（20g） 食パン（6枚切り）……1枚	**材料**（1人分） キャベツ……1/2枚（25g） ちくわ……1本（26g） 食パン（6枚切り）……1枚 マヨネーズ……適量 中濃ソース……適量 かつお節……適量

1 バターは室温においてやわらかくしておく。りんごは芯を縦に切り落とし、5mmはばに切る。

1 マシュマロは横半分に切る。

1 キャベツは食べやすい大きさに手でちぎる。ちくわは1cmはばの輪切りにする。

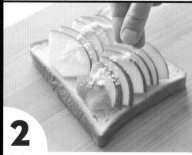

2 食パンにバターをぬり、りんごを少しずつずらして並べ、砂糖をふる。オーブントースターで5分ほど焼く。

2 食パンに板チョコ、マシュマロをかわりばんこに並べ、オーブントースターで2分30秒ほど焼く。

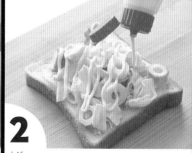

2 食パンに1をのせてマヨネーズをかけ、オーブントースターで5分ほど焼く。中濃ソースをかけて、かつお節をふる。

つくりやすさ ★　じかん 5分

ホットドッグ

フライパンで

パリッと焼いたウインナーがはじけるおいしさ！

材料（2個分）

ウインナー……2本
キャベツ……1枚（50g）
ロールパン……2個
オリーブ油……小さじ1
A｜酢……大さじ1/2
　｜塩……少し
トマトケチャップ……適量

 オリーブ油　 酢　 塩　 トマトケチャップ

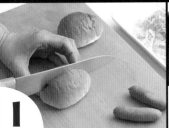

1 ウインナーはななめに切り目を入れる。キャベツは細切りにする。ロールパンは縦に切れ目を入れる。

中火

2 フライパンにオリーブ油を入れて広げ、ウインナーを入れる。中火でいため、焼き目がついたら取り出す。キャベツを入れて同様に2〜3分いため、Aを加えて混ぜる。

3 ロールパンに2のウインナーとキャベツをはさみ、ケチャップをかける。

じゃがバター

電子レンジで

ほくほくのじゃがいもとまろやか
なバターが相性バツグン！

材料（1人分）
じゃがいも……1個（150g）
バター……5g

1
じゃがいもは皮つきのままよく洗
い、ラップで包み、耐熱皿にのせ
る。

2
電子レンジで1分加熱し、一度
取り出して裏返す。さらに1分
30秒加熱し、竹ぐしをさしてす
っと通るかを確認する。

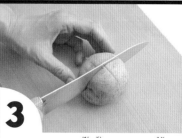

3
じゃがいもの半分くらいの深さ
まで、十字に切りこみを入れる。
器に盛り、バターをのせる。

フライパンで

焼きナゲット

人気のナゲットを手づくりしてみよう。
あげずに、フライパンでこんがり焼くよ。

★★
つくりやすさ

20分
じかん

材料（2人分）

A
- 鶏ひき肉……250g
- パン粉……大さじ2
- マヨネーズ……大さじ1
- 粉チーズ……大さじ1
- にんにく（チューブ）……小さじ1/4
- 塩……少し

小麦粉……適量

サラダ油……大さじ1/2

トマトケチャップ……適量

マヨ　　にんにく　　塩　　サラダ油　　トマト
ネーズ　（チューブ）　　　　　　　　　　ケチャップ

1
ボウルにAを入れて、白っぽくなるまで手でよく練り混ぜる。

2
ボウルの中で、スプーンで10等分にする。

3
1個ずつ小判形にし、ラップをしいたバットに並べる。

中を割ってみて、ピンク色の部分が残っていないか確認しよう。

4
別のバットに小麦粉を広げ、3の全体にまぶす。余分な粉ははらう。

5
中火

フライパンにサラダ油を入れて広げ、4を並べて中火にかける。

6
中火 → 弱火

2分ほど焼いて、焼き目がついたら裏返し、弱火にして火が通るまで2分ほど焼く。器に盛り、ケチャップを添える。

みんなでパーティー

電子レンジと  ＋ フライパンで

クレープ2種（しゅ）

★★ つくりやすさ ・ 20分（ふん）じかん ・ つくるときからワクワクが止まらない！いろいろな具の組み合わせを楽しんでね。

ハムエッグサラダ

チョコバナナクレープ

材料（ざいりょう）（生地（きじ）6枚分（まいぶん））

卵（たまご）……1個（こ）

牛乳（ぎゅうにゅう）……120mL

バター……10g

小麦粉（こむぎこ）……50g

砂糖（さとう）……大（おお）さじ1/2

塩（しお）……少（すこ）し

サラダ油（ゆ）……適量（てきりょう）

砂糖（さとう）

塩（しお）

サラダ油（ゆ）

1
ボウルに卵を溶きほぐし、牛乳を加えて混ぜる。

2
耐熱ボウルにバターを入れて電子レンジで30秒ほど加熱し、溶かしバターをつくる。

3
別のボウルに小麦粉をふるい入れ、砂糖、塩を加えてあわ立て器でさっと混ぜる。

4
3に1を2〜3回に分けて加え、そのつどよく混ぜる。2の溶かしバターも加えてさっと混ぜ、ラップをして冷蔵庫で30分ほど休ませる。

中火

5
フライパンにサラダ油大さじ1/2ほどを入れてペーパータオルでなじませ、中火にかける。あたたまったら4の生地の1/6量を流し入れ、フライパンを回して全体に広げる。

6
1分ほど焼いて焼き目がついたら、そのまま皿にすべらせるようにして取り出す。同じようにして、全部で6枚焼く。

チョコバナナクリーム
クレープ生地にホイップクリーム、バナナ（ななめに切る）、スライスアーモンド（ローストしたもの）、チョコスプレー各適量をのせてくるっと巻く。

ハムエッグサラダ
クレープ生地にグリーンカール、ハム、スライスチーズ、きゅうり（ななめうす切り）、エッグサラダ（ゆで卵をつぶしてマヨネーズであえたもの）各適量をのせてくるっと巻く。

ピザ

つくりやすさ ★

じかん 20分

パーティーが盛りあがるカラフルなピザ。
トッピングは好きな具にかえてもOK！

材料（つくりやすい分量）

ピザクラスト……1枚（直径約21cm）

ウインナー……2本

グリーンアスパラガス……2本（40g）

ミニトマト……4個

A┃トマトケチャップ……大さじ2
　┃オリーブ油……小さじ1
　┃にんにく（チューブ）……小さじ1/4

オリーブ油……適量

ピザ用チーズ……60g

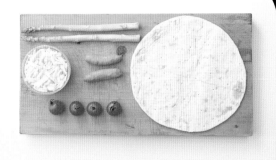

トマト
ケチャップ

オリーブ油

にんにく
（チューブ）

1 ピザクラストは4等分に切る。Aは混ぜ合わせる。

2 ウインナーは1cmはばのななめに切る。アスパラは根元を切り落とし、ピーラーで下から1/3くらいの皮をむき、ななめうす切りにする。ミニトマトは半分に切る。

3 ホットプレートにペーパータオルでオリーブ油をなじませ、ピザクラストをのせてスプーンでAをぬる。

4 ウインナー、アスパラ、ミニトマト、ピザ用チーズを順にのせる（チーズは少し取り分けておく）。

5 ホットプレートを中温に熱し、ふたをして5分ほど焼く。

中温

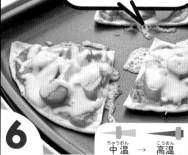

プレートに落としたチーズがかりっと香ばしく焼けるよ。

6 チーズが溶けてきたら、取り分けておいたチーズを生地ではなくプレートの上に落として、ふたをして高温にし、1〜2分焼く。

中温 → 高温

チーズフォンデュ

★ つくりやすさ

15分 じかん

でんしレンジと
電子レンジと

+

ホットプレートで
ホットプレートで

なめらかなチーズを野菜やパンにつけて！
ホットプレートを囲んでみんなで食べよう。

材料（つくりやすい分量）

ブロッコリー……80g

A ┃ 牛乳……1/4カップ
　 ┃ かたくり粉……小さじ1

サラダ油……適量

ピザ用チーズ……50g

バゲット、ウインナー、ミニトマト
　　……各適量

サラダ油

1

バゲットは食べやすい大きさに切る。ウインナーはななめ半分に切る。

2

ブロッコリーは食べやすい大きさに分けて耐熱皿にのせ、ふんわりラップをして電子レンジで1分加熱する。

3

耐熱容器にAを入れてよく混ぜる。

> 焼けたものから、チーズにくぐらせて食べよう。

4 高温

ホットプレートにペーパータオルでサラダ油をなじませる。1、2、3をのせて高温で加熱する。

5 高温

ブロッコリーやウインナー、バゲットは、時々菜ばしで裏返して焼く。

6 高温

Aを混ぜながら4分ほど加熱して、ピザ用チーズを加える。さらに混ぜながら2〜3分加熱し、チーズが溶けたらへたを取ったミニトマトをのせて焼く。

とろ〜りチョコが主役の
スイーツパラダイス！
好きなフルーツやおかしで
楽しんでね。

電子レンジで

チョコ
フォンデュ

★ 10分

つくりやすさ じかん

材料（つくりやすい分量）

A｜板チョコレート（ミルク）
　　……1枚（50g）
　｜牛乳……大さじ2

B｜板チョコレート（ホワイト）
　　……1枚（45g）
　｜牛乳……大さじ1

マシュマロ、ビスケット、バナナ、
いちご……各適量

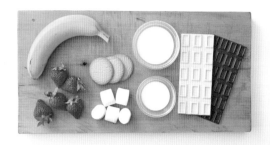

1 AとBの板チョコは、包丁でそれぞれ細かく刻む。

2 バナナは食べやすく切る。

3 2つの耐熱ボウルにA、Bをそれぞれ入れ、ふんわりラップをして電子レンジで30秒ずつ加熱する。

4 電子レンジから取り出してよく混ぜる。混ぜてみて、チョコのかたまりが残っていたら、さらに10秒加熱する。

5 チョコがなめらかに溶けたら、器に移す。マシュマロ、ビスケット、バナナ、へたを取ったいちごをつけて食べる。

にぎりずし

つくりやすさ ★ じかん 20分

好きなおさしみを用意して、おすしパーティー。
おすし屋さんになった気分でにぎってみよう！

材料（18かん分）

まぐろのさしみ……6切れ（60g）

サーモンのさしみ……6切れ（60g）

蒸しえび……6切れ（40g）

あたたかいごはん
……茶わん2杯分（300g）

A│ 酢……大さじ1と1／2
　│ 砂糖……小さじ2
　│ 塩……小さじ1／2

酢　　　砂糖　　　塩

1 小さい器にAを入れてよく混ぜ、すし酢をつくる。

2 ボウルにごはんを入れ、1を加える。しゃもじで切るように混ぜ、酢飯をつくる。

3 ぬらしたペーパータオルをかけて、手でさわれるくらいまで冷ます。

4 手のひらにラップを広げ、18等分にした3をのせる。

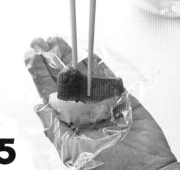

5 4の上にさしみやえびを1切れのせる。

6 ラップで包んで、ふんわりとにぎる。残りも同様につくる。ラップをはずしてお皿に並べる。

フライパンで

太巻き
ふとまき

切り口が楽しいボリューム満点のおすし。
家族や友だちのお祝いの日にもおすすめだよ。

★★★　　30分
つくりやすさ　　じかん

材料（2本分）

たくあん（うす切り）……2枚（15g）

スライスチーズ……1枚

きゅうり……1/4本

にんじん……1/8本（20g）

塩……小さじ1/8

焼きのり……1枚

あたたかいごはん……茶わん1杯分（150g）

A｜酢……小さじ2
　｜砂糖……小さじ1
　｜塩……小さじ1/4

ウインナー……2本

サラダ油……小さじ1

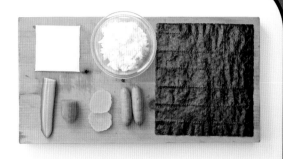

塩　　　酢　　　砂糖　　サラダ油

1
たくあんは5mmはばの細切りにする。スライスチーズは半分に切り、それぞれ縦に三つ折りにする。きゅうりは縦半分に切る。

2
にんじんはピーラーでうす切りにしてボウルに入れ、塩をまぶして10分ほどおく。しんなりしたら水気をしぼる。焼きのりは半分に切る。

3
Aを混ぜてすし酢をつくる。ボウルにごはん、すし酢を入れてしゃもじで切るように混ぜ、ぬらしてしぼったペーパータオルをかけて手でさわれるくらいまで冷ます。

4
フライパンにサラダ油を入れて広げ、ウインナーを入れて中火にかける。こんがり焼き目がつくまで1〜2分焼く。

中火

5
まな板に焼きのりを縦長に置き、3の半量をうすく広げる。手前から、きゅうり、ウインナー、たくあん、スライスチーズ、にんじんの順に並べる。

ごはんは、手前とおくは1cm、両はしは5mmあけて広げよう。

6
はしからくるっと巻き、巻き終わりを下にして5分ほどなじませる。もう1本も同じようにつくり、水でぬらした包丁で食べやすく切る。

87

細巻き

具が1つだけだから、くるっとラクに巻けるよ！
ひと口サイズで食べやすいのもうれしいね。

つくりやすさ ★★　　じかん 30分

材料（8本分）

きゅうり……1/2本

焼きのり……2枚

あたたかいごはん
　　……茶わん2杯分（300g）

A｜酢……大さじ1と1/2
　｜砂糖……小さじ2
　｜塩……小さじ1/2

ひきわり納豆……1パック（40g）

酢　　　　　砂糖　　　　　塩

1

きゅうりは縦4等分に切る。焼きのりは1枚を4等分に切る。

2

Aを混ぜてすし酢をつくる。ボウルにごはん、すし酢を入れてしゃもじで切るように混ぜ、ぬらしてしぼったペーパータオルをかけて手でさわれるくらいまで冷ます。

のりのはじを5mmずつくらいあけてごはんを広げよう。

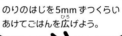

3　　かっぱ巻き

焼きのり1切れに2の1/8量をのせる。その上に、きゅうり1切れをのせ、手前からくるっと巻く。巻き終わりを下にしてなじませる。全部で4本つくる。

4　　納豆巻き

焼きのり1枚に2の1/8量をのせる。その上に納豆1/4量をのせ、手前からくるっと巻く。巻き終わりを下にしてなじませる。全部で4本つくる。

5

水でぬらした包丁で食べやすく切る。

フライパンで

ちぎりパン

フライパンで手軽につくれるパンにチャレンジ！
外はカリッと、中はふんわり焼きあげよう。

★★ つくりやすさ　30分 じかん

材料 (つくりやすい分量)

A | ホットケーキミックス
　……1 ふくろ (150g)
　| プレーンヨーグルト (無糖)
　……60g
　| サラダ油……大さじ1
　| 塩……少し

クリームチーズ (冷蔵庫から出して
やわらかくしておく)……適量

いちごジャム……適量

板チョコレート (ミルク)……1 枚 (50g)

牛乳……大さじ1

塩　　サラダ油

1

板チョコは包丁で細かく刻み、耐熱ボウルに入れる。牛乳を加えてふんわりラップをし、電子レンジで30秒加熱して混ぜる。

2

ボウルにAを入れて、ゴムべらでざっと混ぜる。手で生地をこねながらまとめていく。

3

粉っぽさがなくなるまでこねたら、8等分にして手で丸める。

> オーブンシートはフライパンからはみ出さないように注意してね。

4 🔥弱火

フライパンにオーブンシートをしき、3を並べる。ふたをしてごく弱火にかけ、9分焼いて火を止める。

5

ふたを取って別のオーブンシートをかぶせ、ひっくり返してふたに乗せる。

> 1のチョコ、クリームチーズ、いちごジャムをつけて食べてね。

6 🔥弱火

オーブンシートごとフライパンにそーっともどし入れる。ふたをしてもう一度ごく弱火にかけて、約9分蒸し焼きにして火を通す。

よく使う調味料

いろいろな味がつくれて、おいしさの決め手になる調味料！
はかり方もきちんと覚えておこう。

塩

砂糖

酢

酒

しょうゆ

みそ

サラダ油

オリーブ油

ごま油

調味料のはかり方

計量スプーンで

粉類をはかる
ざっくりとすくい、スプーンの柄やへらなどで表面をすりきって平らにする。

液体をはかる
スプーンからこぼれる寸前くらいまで、こんもりと入れる。下に受け皿を用意しておくと、こぼれても安心。

計量カップで

カップを平らなところに置き、真横から見て目盛りを確認する。

にんにく （チューブ）	しょうが （チューブ）	洋風スープ の素	顆粒和風だし の素	鶏がらスープ の素
マヨネーズ	トマト ケチャップ	めんつゆ	中濃ソース	オイスター ソース

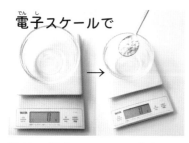

電子スケールで

最初に容器をのせて、目盛りを
「0g」に合わせる。
↓
調味料や食材を入れて重さをは
かる。

指で塩を
はかる

ひとつまみ
親指、人さし指、中指の先で
つまんだ量。

少し
親指と人さし指の先でつま
んだ量。「少々」ともいう。

食材の保存のしかた

残った食材はきちんと保存すれば、あとでおいしく食べられるよ。
食材によって保存のしかたがちがうので注意しよう。

ごはん

 →  →

炊き上がったらあついうちに、茶わん1杯分くらいずつ、ラップで包む。

冷凍しやすいように平らにして、手でさわれるくらいまで冷めたら、冷凍庫に入れる。

食べるときは、ラップをはがさず凍ったまま電子レンジで解凍する。冷凍したごはんは、1か月くらいで食べきるのがおすすめ。

食パン

1枚ずつラップで包んでから保存ぶくろに入れて冷凍する。2週間くらいで食べきる。

パスタ

ふくろから出したパスタめんは、空気にふれないようにジッパー付き保存ぶくろに入れて口を閉じ、常温で保存する。

卵

卵はとがった方を下、丸い方を上にして冷蔵庫に入れる。

かんづめ

かんから出して別の容器に移し、ラップをして、冷蔵庫で保存する。なるべく早めに使いきる。

葉野菜

 →

乾燥しないように、水でぬらしてしぼったペーパータオルでふわっと包む。

保存ぶくろに入れ、空気をぬいて口をとじ、冷蔵庫で保存する。

もやし

水を入れたボウルに入れ、ラップをすると、冷蔵庫で2〜3日保存できる。

使いかけの野菜

切り口が乾燥しないようにぴったりとラップをし、冷蔵庫で保存する。

加工品

ハムやベーコン、油あげなどは、全体をラップで包んでから冷蔵庫に入れる。

おうちの方へ

前作の『小学生のお料理ブック』は、本当にたくさんの方々に手に取っていただきました。料理に興味のあるお子さんや、料理を通して様々な経験をさせてあげたいと思うママ、パパがこんなにもたくさんいるんだ、ということが分かり、とってもうれしく思いました。

食べることは一生続きます。ですから、子供たちが料理に興味を持ち、自分でつくって、食べることの楽しさに気づくのは、とても大切なことだと思います。うちの子にはまだ難しそう、包丁やフライパンは危ないからまだ無理かな、という親の思いこみが、お子さんの成長や経験をうばってしまうこともあると思います。お子さんを信じて、しっかり見守ってあげることで、自分で考える力や、向上心が生まれ、それが生きていく上での自信になり、さらに子供たちの大きな成長にもつながると思います。

この本は、前作よりも少しだけレベルアップをした料理を掲載しています。また、おうちの方やお友達と一緒に楽しめるようなパーティーメニューもたくさん載せています。ぜひ料理を通じて、家族で楽しい時間を共有していただければと思います。

新谷友里江

新谷友里江

管理栄養士、料理家、フードコーディネーター。祐成陽子クッキングアートセミナー卒業後、同校講師、料理家・祐成二葉氏のアシスタントを経て独立。書籍・雑誌・広告などで、レシピ開発やフードスタイリング、メニュー提案を中心に活躍中。つくりやすくておいしい料理に定評がある。小学生の2児の子育て中。著書に『ぜ〜んぶひとりでできちゃう！ 小学生のお料理ブック』（家の光協会）、『10分でおいしく作る 朝ラク弁当』（池田書店）ほか。

http://cook-dn.com/

ぜ〜んぶひとりでできちゃう！

小学生のお料理ブック2 SUPER！

2024年6月20日　第1刷発行
2024年9月12日　第3刷発行

著者
新谷友里江

発行者
木下春雄

発行所
一般社団法人 家の光協会
〒162-8448
東京都新宿区市谷船河原町11
電話　03-3266-9029（販売）
　　　03-3266-9028（編集）
振替　00150-1-4724

印刷・製本
株式会社東京印書館

デザイン
三木俊一、游 瑪萱（文京図案室）

撮影
菊地 菫（家の光写真部）

写真
福地大亮

イラスト
竜田麻衣

編集・文
小笠原章子

スタイリング
河野亜紀

調理アシスタント
木村 薫

モデル
松井ふみ、松井祐磨

校正
ケイズオフィス

DTP制作
天龍社

Special Thanks
BRUNO株式会社